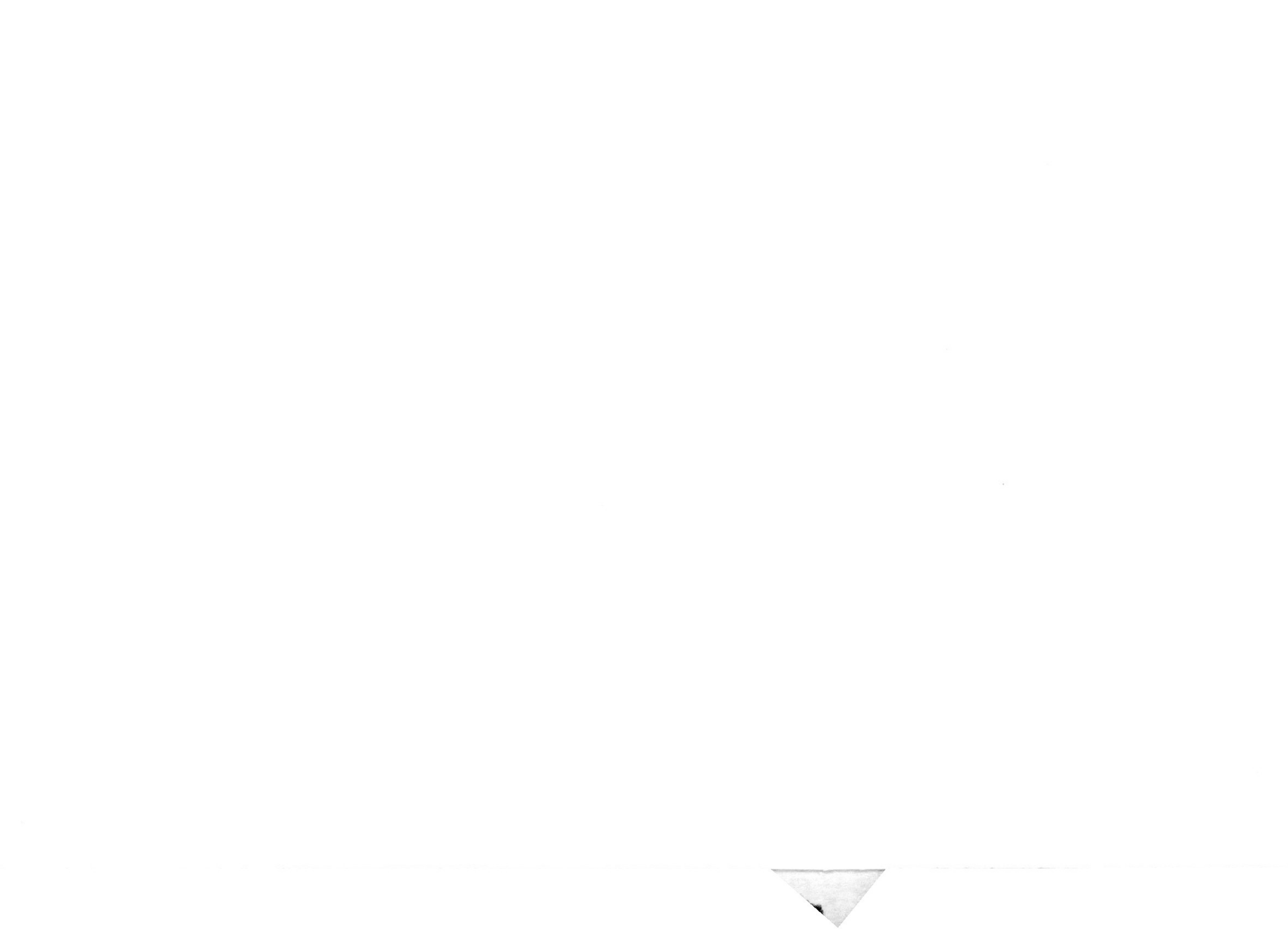

SECRET MOMENTS OF MAIKOS

The Grace, Beauty and Mystery of Apprentice Geishas

PHOTOGRAPHY

Philippe Marinig

PUBLISHER

David Leppan

GATEHOUSE

" THE GEISHA TAMER "

After living in South Africa, crisscrossing the bush country and national parks to photograph its wildlife, Philippe Marinig knows about the big cats. He knows how to approach them without scaring them off, how to observe them without disturbing the beautiful arrangement of their packs, how to blend in to their biotope, how to stand against the wind, and how to wait, adrenaline pumping, until that miraculous moment when he is as close as possible and finally able to capture the essence of their feline personalities with his lens.

At the risk of shocking, I would venture to say that it is by applying the same method as the hunter on the prowl — a method that allowed Philippe to capture images of a panther perched in a tree, quietly pulling apart its prey, and a lion couple in the throes of copulation — that Philippe was able to gain entry into the extremely private world of the geishas in the Gion quarter of Kyoto, the renowned centre of this age-old profession, where geishas are referred to as geikos or maikos (apprentice geikos) by residents.

Because to win the trust of geishas is not a simple matter.

Philippe's desire to enter into the intimacy of this world made of suggestive shadows, delicate scents and furtive gestures, and to record all of this with the lens of his camera, was a challenge almost impossible to achieve.

Unlike photographers who hide their equipment to put their subjects at ease up until the moment they eventually crack, Philippe's camera is an extension of his hand. His profession is to photograph, a fact he embraces entirely, and he does just that — constantly. The shutter clicks so quickly and so often that his subjects are not given time to settle, pose or flee before being captured by his lens.

Through this technique, he is able to catch the furtive sparkle in a gaze, the beginnings of intention in a smile, the most futile of moments: chaos, order, restraint, inertia.

Regardless of whether darkness hides a face or a background light is erasing it, he captures the moment. Philippe may be a compulsive shooter, but he is a precise one; it is because he possesses complete control of his art that he can afford to be so casual, just as a calligrapher no longer has the need to direct his gesture.

After a few mishaps involving subtle grammatical nuances that led to bizarre linguistic interpretations and comical misunderstandings, Philippe managed to mix with these wary birds of the night.

Brutal honesty served Philippe well in his contact with the maikos. He didn't make them vague intellectual promises, or simply portray them on glossy paper with conventional photographs. They were seduced by his innocence because they understood that it came from the purity of his intentions. Visiting them in their relaxed state was always his end goal, and they liked that. Of course, one can imagine that Philippe made ample use of the old-fashioned charm he possesses — nonchalant, off-hand and world-weary — which in fact hides his extreme sensitivity. Too clever to be duped, they understood his purpose and appreciated it. After all, they are for whom appearances hold the truth.

They also understood that Philippe, beneath his blasé façade, looks at people — their culture, weaknesses, fears and wounds — with tenderness and respect. Therefore, the maikos let down their guard. First they allowed flattery, then they allowed intimacy by letting him enter the okiya (lodging), and, finally, they offered their complicity to work with him on this project.

In the images Philippe shot, there is much more than painted faces, perfect kimonos and the stiffened shells of hair. There are mischievous glances instead of those cajoling smiles imposed by the trade - smiles from the heart instead of ones that are priced-by-the-minute - and fleeting moments, like when tiredness is apparent, when deep-throated laughs ring clear and when fidgeting — completely forbidden by the constraints of good manners and gestures that enshrine the geishas — is undeniable. As a result of Philippe's work, we are able to see beyond the refined wrinkles of their heavy brocades, the graceful choreography of their precise gestures, the white pastiness of the base mask, the blood-red drop drawn on the lower lip and the black line highlighting the enigmatic gaze; the formatted cocoon of the maikos is ripped away to reveal delicate humanity. Thanks to the photographer who was able to gain access and observe these graceful urban impalas, we are offered a rare look that magnifies the myth of the world of geishas by colouring it with compassion and tenderness.

RICHARD COLLASSE
PRESIDENT AND REPRESENTATIVE DIRECTOR OF CHANEL KK, JAPAN

" LE DOMPTEUR DE GEISHAS "

Pour avoir vécu longtemps en Afrique du Sud et sillonné ses brousses et ses parcs naturels de long en large afin d'en photographier la faune, Philippe Marinig s'y connaît en grands fauves. Il sait comment les approcher sans les effaroucher, les observer sans déranger le bel ordonnancement de leurs meutes, se fondre dans leur biotope, se présenter contre le vent et patienter, patienter jusqu'à l'instant miraculeux où il saisit de son objectif à focale courte ses sujets, toujours au plus près d'eux, car c'est dans l'intimité que se révèle l'essence de leur personnalité.

Et puis Philippe Marinig a besoin d'exsuder de l'adrénaline pour rendre le meilleur de lui-même.

Au risque de surprendre, j'oserai dire que c'est en appliquant la même méthode du chasseur à l'affût qui lui permit autrefois de photographier une panthère perchée sur un arbre en train de tranquillement dépecer une proie ou un couple de lions dans la jubilation de la copulation que Philippe fût capable de s'introduire dans le monde extrêmement privé des geishas du quartier de Gion à Kyoto, fameux centre de cette profession ancestrale, où les geishas se font appeler geikos ou maikos (apprenties geikos) par les habitants.

Car apprivoiser les geishas n'est pas une simple affaire.

Le désir de Philippe Marinig d'entrer dans l'intimité de ce monde fait d'ombres providentielles, de senteurs délicates et de gestes furtifs et de fixer tout cela avec l'objectif de son appareil photo était proche d'une gageure quasi impossible à concrétiser.

Après quelques mésaventures, de subtiles nuances permettant les interprétations les plus farfelues et de cocasses qui pro quo dont la grammaire de la langue japonaise truffe la communication à plaisir et que la traduction s'acharne à finir d'enfumer, Philippe est parvenu, sans vraiment qu'elles s'en rendent compte, à côtoyer les oiselles effarouchées de la nuit.

Contrairement aux photographes qui cachent leur matériel pour mettre leurs sujets en confiance jusqu'au moment de grâce où ils finissent par craquer, Philippe Marinig impose son appareil photo comme une prothèse inamovible greffée au bout de sa main. Son métier est de photographier, il l'assume pleinement et donc il photographie.

Tout le temps. Sans apparemment se donner le temps de composer et sans laisser aux sujets celui de poser, de se donner une posture ou de fuir.

Il saisit ainsi l'éclat furtif dans un regard, l'intention d'un sourire avant même son esquisse, l'instant le plus futile, le chaos ou l'ordre, la retenue ou la langueur.

Que la pénombre masque un visage ou qu'un contre-jour l'efface, que la lumière soit ou ne soit pas, il appuie sur son déclencheur.

Philippe est un tireur compulsif mais précis, l'instinct n'excluant pas la maîtrise, bien au contraire : c'est parce qu'il possède une maîtrise totale de son art que Marinig peut se permettre une telle désinvolture. Tel un calligraphe qui n'a plus besoin de commander son geste.

Son honnêteté brutale a servi Philippe dans ses contacts avec les maikos. Il ne leur a pas promis une vague lune intellectuelle, pas plus qu'un reportage flatteur sur papier glacé cédant aux clichés du genre. Elles ont été séduites par sa naïveté car elles ont compris qu'elle venait de la pureté de ses intentions. Aller à leur rencontre dans leur état brut était son propos, et elles ont aimé cela. Bien entendu, on peut imaginer que Philippe a fait un usage immodéré de son charme volontairement désuet de chasseur désinvolte, négligé et fatigué, en fait une posture cachant sa sensibilité à fleur de peau. Trop fines pour s'y laisser tromper, elles ont saisi ce jeu de séduction et l'ont apprécié, elles pour qui les apparences sont le sel de la vérité.

Elles ont également compris que l'œil de Marinig sous sa paupière blasée cache un regard tendre et respectueux de l'Autre, de sa culture, de ses fragilités, de ses craintes et de ses blessures. Alors, elles ont baissé la garde. Elles ont d'abord autorisé la promiscuité, puis permis l'intimité, enfin offert la complicité.

Car c'est ce qu'on voit dans le reportage formidable de Marinig, une complicité de tous les instants, des regards espiègles, pas ceux enjôleurs imposés par le Métier, des sourires venus du cœur, pas ceux, tarifés à la minute, de la panoplie aseptisée de leurs outils de travail. Et puis des instants fugitifs au fond d'un taxi quand transparait la lassitude interdite sur scène, des rires à gorge déployée et des déhanchements parfaitement proscrits du car can de bonnes manières et de la gestuelle qui enchâsse les maikos dans une rigidité aussi certaine que leurs kimonos et les coques raidies de leur coiffure.

Alors, derrière le raffinement du froissement des lourds brocards, la gracieuse chorégraphie des gestes millimétrés, la blancheur blafarde des fonds de teint, la sanglante goutte vermeil dessinant la lèvre inférieure et le trait de noir soulignant l'amande énigmatique du regard, se déchire le cocon formaté de les maikos pour dévoiler la fragile chrysalide de son humanité, son cœur et ses tripes.

Grâce au travail de Philippe Marinig on comprend que non, évidemment, les maikos ne sont pas les poupées articulées et les objets animés sans âme que la mythologie de pacotille se plait à caricaturer mais bien les sœurs de nos mères, nos épouses, nos amantes et nos filles avec leurs joies, leurs peines, leur fragilité et leurs forces.

Alors nous prend l'envie de rendre grâce au photographe qui a su rester suffisamment longtemps à l'affut de ces gracieuses impalas citadines que sont les maikos pour nous offrir un autre regard sur elles et magnifier le mythe et le rêve en le colorant d'humanité et de tendresse.

Richard Collasse
Président et Directeur Délégué de Chanel KK, Japon

序 文

「芸 者 慣 ら し」

南アフリカに住み、奥地と国立公園を行き来しながら自然を撮影した経験から、フィリーペ・マリニグは野生の猫について詳しいと言えるだろう。脅かさずに近づく方法、美しく形成された群れを崩さずに観察する方法、彼らの生息空間に馴染む方法、風に向かって立つ方法、そして待つ方法—アドレナリンが体を駆け巡る中、レンズを通して彼らの本質をついに写せる距離に近づける奇跡的な瞬間まで。

人を不快にさせる覚悟で言わせてもらえば、この獲物を狙うハンターのような手段—木に登って静かに獲物を食いちぎる黒豹や、ライオンの性行為の撮影を成功させた手段—を通してフィリーペは、この職の中心部とも言える京都・祇園で、普段人目にかかることのない芸者の世界に入り込むことができたのだろう。

何せ芸者の信頼を儲けることは楽ではない。

思わせぶりな影、繊細な香り、人目を気にした仕草で作り上げられたその世界に入り込み、その全てをカメラのレンズで捕らえたいと思うフィリーペの望みは不可能に近いとも言えた。

写真を撮る瞬間まで被写体の緊張感を和らげるよう機材を隠す写真家と違い、フィリーペのカメラは腕の一部だ。彼の仕事は写真を撮ることであり、彼はそれを完全に受け入れ、ただそれだけをする‐常にである。シャッターを切るあまりの速さに被写体は落ち着き、ポーズをとり、又は逃げる間もなく彼のレンズに捕らえられる。

このテクニックを通し、彼はごまかされた瞳のきらめき、微笑みを意図した瞬間、取るに足らないようなわずかな間を撮影する：それは混沌、秩序、自制、慣性。

暗闇が顔を隠しているのか、逆光が表情を消しているのかも関わらず、彼はその瞬間を捕らえる。フィリーペの撮影は衝動的かもしれないが、的確である；自分の芸を極めているからこそ何気ない態度で写真を撮ることができるのだろう。書道家が自分の手の動きを一々考えないのと同じだ。

奇妙な言語の解釈や笑いを誘うような誤解を招く失敗をいくつか解決した後、フィリーペはこの慎重な夜の鳥の群れに馴染むことに成功した。

舞妓たちとの交渉に役立ったのがフィリーペの荒々しい誠実さだった。彼は曖昧な約束をしたり、一般的な光沢仕上げの写真に彼女たちを写すだけのことはしなかった。舞妓たちが彼の無垢な態度に魅せられたのは、彼の目的が純粋であると理解していたからである。彼女たちがくつろいでいる時に会いに来ることが彼の最終目標であり、彼女たちはそれを好んだ。もちろん、持ち前の魅力－無頓着で世を儚むような態度（これは実はフィリーペの繊細な一面を隠してしまうのだが）－も利用したのだろうと想像はつく。騙されるには賢い彼女たちは彼の意図を汲み、それを評価した。結局のところ、風貌が真実を映すのが彼女たちなのだ。

更に、フィリーペは無関心な見かけに寄らず、優しさと尊敬を持って人の文化、弱み、恐怖、傷跡を観察する。それ故舞妓たちは警戒を緩めたのだろう。まずは巧みなお世辞から許し、そしてその内置屋に招き入れ身近にいることを許し、最終的には彼のプロジェクトに参加し、協力することを許したのだ。

フィリーペが撮影した写真は、化粧の施された顔、非の打ち所のない振袖、丁寧に固められた桃割れの髪をただ写しただけのものではない。舞妓として仕上げられた微笑とは違ういたずらな眼差し－"

時給制"ではない心からの笑みやほんの一瞬の表情、例えば疲れを表した表情や部屋に響く高笑い、そわそわした仕草（これは芸者が厳しく祭る礼儀作法の上、決して許されない行為である）、このような素振りが表に出てしまう時もある。洗練された錦織に浮かぶ皺、指導された優雅な身振り手振り、均等に塗られた水白粉、下唇をなぞる真紅と、謎めいた瞳を強調させる黒い線の彼方；フィリーペの写真を通して、訓練により仕立て上げられた舞妓の繭は剥ぎ取られ、その下にある繊細な人間性が垣間見られるのだ。この優美な都会のガゼルに近づき、観察することを許された写真家のお陰で我々は滅多に見ることができない芸者の世界が垣間見られ、その世界を思いやりと優しさで彩ることによって、彼はそれを更に神秘的なものに仕立て上げている。

リチャード・コラス
CHANEL KK, JAPAN 代表取締役

Fluttering in Kyoto

Geisha.
"The person who practises Art".
This woman embodies 400 years of
Japanese history.
She is living Art.
But what hides behind this perfect
image of Art?
Who is this woman?

Live the rhythm of her breathing.
Feel the tension of the concentration in
her preparation.
Be witness to the confidence in a
gesture that has been repeated so
many times, decade after decade,
century after century.

Live the rhythm of her words.
Haiku, short and rhythmic, born in the
16th century, alights as delicately as the
fluttering of words. Of her words.

Live the rhythm of her steps.
Quick, muffled steps that slide on
the tatami.

Live the rhythm of her heart.
Hear the drumming of it.
She is finally ready.
She leaves. To see the sunset.
See her begin.
She is Beauty. She is Light. She is Art.

And the following day, find new
flutterings of the young apprentice,
Maiko, who ensures the link that
renders this perfected practise alive,
and eternal.

Philippe Marinig

BATTEMENTS À KYOTO

"Geisha".
Ou littéralement "la personne qui exerce l'Art".
Cette femme incarne à elle seule 400 ans d'Histoire du Japon.
C'est un Art vivant.
Mais que se cache-t-il derrière cette image parfaite de l'Art ?
Qui est cette femme ?

Vivre au rythme de son souffle.
Ressentir la tension de la concentration dans la préparation.
Etre témoin de l'assurance d'un geste tant de fois répété, décennie après décennie, siècle après siècle.

Vivre au rythme de ses mots.
Le haiku, cette forme de poème court et rythmé, né au 16ème siècle, se pose délicatement comme des battements de ses mots.

Vivre au rythme de ses pas.
Ces petits pas feutrés, rapides, qui glissent sur le tatami.

Vivre au rythme de son coeur.
Entendre le tambour de son coeur.
Elle est enfin prête. Elle part.
Voir le soleil se coucher. Et la voir elle, se lancer. Elle existe. Elle est la Beauté.
Elle est la Lumière. Elle est l'Art.

Et le lendemain, retrouver de nouveaux battements, ceux de la jeune apprentie, la Maiko, qui assurera le lien, qui rendra vivant et éternel cette perfection.

Philippe Marinig

京都の鼓動

芸者
その名の通り芸を振舞う者。
その女性は一身に日本の４００
年の歴史を具現化している。
彼女は生きる芸術である。
しかし、この完璧ともいえる芸術像の
背後に何が隠されているのだろう？
彼女は誰なのだろうか？

呼吸の律動に合わせて生きる。
支度のときの集中力の緊迫感を感じる何
十年、何世紀もかけて繰り返された作法
を守り抜く務め。

言葉の律動に合わせて生きる。
俳句、16世紀に生まれた、短く津動性の
ある詩。それはまるで言葉がそっとはば
たくような。彼女自身の言葉のように。

歩みの律動に合わせて生きる。
畳の上を素早く、小さな歩幅で、滑るよ
うに歩く。

心の律動に合わせて生きる。
心臓の音に耳を傾ける。支度は整った。
沈みゆく夕陽を背にして、彼女は出かけ
ていく。彼女は存在する。彼女は美。光。
芸術。

そして翌日、新たな鼓動を見つける。
若い芸者見習い、舞妓の鼓動を。
彼女は伝道者となり、この完璧な芸術を
生かし永遠のものにしてゆく。

フィーリーペ・マリニグ

白露や
死んでゆく日も
帯締めて

三橋鷹女

Rosée blanche d'automne —
même le dernier jour de ma vie,
je ceins mon obi

As in the white dew...
on the day when I die too
tying my obi

Mitsuhashi Takajo (1899-1972)

宮四町内会

紅さいた
口もわするる
しみづかな
　千代尼

J'en oublie même
le rouge à lèvre que je porte
Ah ! De l'eau de source

rouged lips
forgotten —
clear spring water

Chiyoni (1703-1775)

花衣 ぬぐやまつはる 紐いろいろ 杉田久女

花衣 ぬぐやまつはる 紐いろいろ

Kimono de la fête des fleurs
je me déshabille —
les cordelettes s'entremêlent.

Festive flower robes
left clinging as I undress,
many colored cords

Sugita Hisajo (1890-1946)

佳
一
扇

さびしさの
うれしくもあり
秋の暮れ

与謝蕪村

Soir d'automne —
il est un bonheur aussi
dans la solitude

An autumn eve;
there is joy too,
in loneliness

Mitsuhashi Takajo (1899-1972)

Fumino
Sae
Katsutomo
Satsuki
Manechika

行く我に
とゞまる汝に
秋二つ

正岡子規

Pour moi qui part
pour toi qui reste —
deux automnes

For I who goes,
for you who stays —
two autumns

Masaoka Shiki (1867-1902)

街の酒屋

Ah ! Belle-de-jour
qui non plus ne deviendra
jamais mon amie

Morning glories —
even they, too, are not
my friend

MATSUO BASHÔ (1644-1694)

露の世は
露の世ながら
さりながら

小林一茶

Monde de rosée
rosée du monde —
et pourtant

The world of dew —
a world of dew it is indeed,
and yet, and yet...

Kobayashi Issa (1763-1828)

白露の
淋しき味を
忘るるな
松尾芭蕉

La rosée blanche —
n'oublie jamais
son goût de solitude !

Never forget
the lonely taste
of the white dew

Matsuo Bashô (1644-1694)

禁 煙
No Smoking
初乗運賃
2kmまで
小型車
640円
加算運賃 385mまでごとに80円
JTB
TOYOTA

寒月や
小石のさはる
沓の底

与謝蕪村

Lune d'hiver
le gravier crisse
sous la chaussure

A winter moon!
The feeling of small pebbles
under my shoes

YOSA BUSON (1716-1783)

日は花に
暮れてさびしや
あすならう

松尾芭蕉

Le jour sur les fleurs
décline et sombre déjà
l'ombre des cèdres

Loneliness —
standing amid the blossoms,
the small cypress tree

Matsuo Bashô (1644-1694)

朝顔に
釣瓶とられて
貰い水

千代尼

Le liseron
au seau du puits s'est emmêlé
je demande de l'eau à mon voisin

Morning glories
the well bucket-entangled,
I ask for water

CHIYONI (1703-1775)

夕顔や
ひらきかかりて
襞深く

杉田久女

La fleur de yugao
à demi-ouverte
avec des plis profonds

Calabash flowers,
half-open
with deep plaits

SUGITA HISAJO (1890-1946)

富美代

若草に
根をわすれたる
柳かな

与謝蕪村

Parmi les jeunes herbes
oubliant ses racines,
gît un saule

Amidst young grass
forgetful of its root
a willow tree

Yosa Buson (1716-1783)

花園
おかだ

夜の蘭
香にかくれてや
花白し
与謝蕪村

夜の蘭
香にかくれてや
花白し

Orchidée du soir
cachant dans son parfum
le blanc de sa fleur

Orchids in the night
in their fragrance hidden —
the flowers white

Yosa Buson (1716-1783)

降りはじめた雨が夜の心音

住宅顕信

La pluie commence à tomber —
c'est le battement du cœur de la nuit

The rain begins to fall,
sounding the heartbeat of the night.

Sumitaku Kenshin (1961-1987)

夏の夜や
木魂に明る
下駄の音
松尾芭蕉

Nuit d'été —
le bruit de mes socques
fait vibrer le silence

Summer evening —
alight are the echoes
of the clogs

Matsuo Bashô (1644-1694)

都をどり
井筒屋

清水には
裏も表も
なかりけり

千代尼

Eau pure —
pas d'endroit
pas d'envers

Clear water
no front
no back

Chiyoni (1703-1775)

甘泉堂

何もないが
心安さよ
涼しさよ
小林一茶

Rien qui ne m'appartienne
sinon la paix du cœur
et la fraîcheur de l'air

Nothing at all
but a calm heart
and cool air

Kobayashi Issa (1763-1828)

結ぶより
早歯にひびく
泉かな

松尾芭蕉

Avant que je l'avale
l'eau de la source
a bruissé sur mes dents

Just as I scoop it,
it rings in my teeth:
spring water

MATSUO BASHÔ (1644-1694)

鐘消えて
花の香は
撞く夕哉

松尾芭蕉

La cloche se tait
le parfum des fleurs
transperce le soir

As the bell tone fades
blossom scents begin to ring,
evening shade

Matsuo Bashô (1644-1694)

この道や
行く人なしに
秋の暮

松尾芭蕉

Ce chemin —
Seule la pénombre d'automne
l'emprunte encore

Along this road
goes no one,
this autumn eve.

Matsuo Bashô (1644-1694)

BIOGRAPHIES

Philippe Marinig
PHOTOGRAPHER

Born in 1962 in Chateau-Arnoux in the French Alps, Philippe Marinig, encouraged by a family of artists, became interested in photography at a young age, after an apprenticeship with French artist and photographic art professor Denis Brihat. He then left France to study photography in Boston. He contributed to the French newspaper *Libération* and the French cultural magazine *Globe* as a freelance photographer. An encounter with Eddy and Pierre Gassmann marked a turning point in his career and opened the door for him at the famous Picto services.

In 1992, Philippe established his own company, specializing in photo shoots for advertising and fashion in Cape Town, South Africa. Since 2006, he has entirely devoted himself to artistic projects that lead him to Europe, Southern Africa and Japan. His work has been the subject of numerous personal exhibitions illustrating his unique sense of observing, feeling and revealing the inner beauty of worlds that are usually kept secret and closed.

Into the world of nature.... with "NATURAL ECSTACY", shown in 2007 at the French Alliances network across Southern Africa, and with "INTO THE WILD", which was exhibited at Chanel Nexus Hall in Tokyo, Japan, in 2010.

Into the wrestling world, from Japan to Africa... "O SUMO SAN" was presented at the French Institute in Tokyo, Japan and at the Albert-Kahn Museum in Boulogne-Billancourt, France, in 2011. "O SUMO FUDE" was the first exhibition from the duo Philippe Marinig and the calligrapher Daimon Kinoshita, and was shown in 2013 in Tokyo, Japan. Fascinated by these wrestling demi-gods, Marinig offers a new behind-the-scenes look at this world rich in rituals and rigor. Through a vision that is both aesthetic and intuitive, he reveals a natural beauty of these bodies that are submitted to a severe test. Kinoshita has been the Sumo assigned artist for over twenty-five years. His calligraphy and prints allow viewers to discover the intimacy of this world. In 2015, "LAMB, LUTTER" was presented in Dakar, Senegal; in this exhibition Marinig revealed the mystical wrestling world of Africa.

Into the utmost protected and hidden world of geisha.... with "KYOTO NO KODO" presented at Galerie Visconti in Paris, France, in 2015.

Marinig was the winner of the SCAM Roge Pic Prize, awarded by the Civil Society of Multimedia Authors in 2010, and was the artist-in-residence at Villa Kujoyama in Kyoto, Japan, one of the most prestigious French cultural institutions abroad and similar to Villa Medici in Rome, from 2011–2012.

Anigue Meutémédian Malignon
CREATIVE CONSULTANT

Anigue Meutémédian Malignon has always been inspired by
detail, colour, texture and form. A Paris-based art director,
she specialises in creating elegant, refined and poetic graphics,
images and designs that are trend-forward and client-focused.

Anigue has worked with luxury fashion and beauty brands
such as Hermès, Kenzo, Lancôme, Lancaster and Calvin
Klein, and has collaborated with international fashion
industry moguls including photographers Nick Knight, Koto
Bolofo, Nathaniel Goldberg and Carter Smith, stylists
Anastasia Barbieri, Serge Girardi and Marie-Amélie
Sauvé, and *Vogue Paris* editor-in-chief, Emmanuelle Alt.

David Leppan
PUBLISHER

David Leppan is an entrepreneur and philanthropist with a
love of art, architecture, interior design and photography.

He is the Publisher of Gatehouse, an award-winning
international publishing house with a focus on travel, cuisine,
the arts and lifestyle, based in Singapore. Some of their
recent titles include *Sake: The History, Stories and Craft
of Japan's Artisanal Breweries*, *Dim Sum*, and *Art Plural*,
as well as the ongoing travel series, *The HUNT Guides*.

BIOGRAPHIES

Philippe Marinig
PHOTOGRAPHE

Né en 1962 à Château-Arnoux dans les Alpes-de-Haute-Provence en France, Philippe Marinig, encouragé par une famille d'artistes, s'intéresse à la photographie très jeune après une formation en art photographique auprès de Denis Brihat. Il part étudier la photographie aux Etats Unis, à Boston. Collaborateur pour le journal *Libération* et le magazine culturel *Globe* en tant que photographe free lance, sa rencontre avec Eddy et Pierre Gassmann marque un tournant dans sa carrière et lui ouvre les portes du célèbre laboratoire photo Picto. En 1992, il fonde et dirige sa propre société spécialisée dans le traitement des prises de vue pour la publicité et la mode, en Afrique du Sud, à Cape Town.

Depuis 2006, il se consacre entièrement à des projets artistiques qui l'amènent en Europe, en Afrique australe et au Japon. Son travail a fait l'objet de nombreuses expositions personnelles, qui toutes illustrent sa capacité unique à entrer, observer et capter la beauté de mondes fermés, gardés habituellement secrets.

Dans l'intimité de la Nature…avec " NATURAL ECSTACY " exposé en 2007 dans le réseau des Alliances françaises en Afrique australe (9 pays) et " INTO THE WILD " au Nexus Hall de CHANEL, à Tokyo, en 2010.

Dans l'intimité du monde de la lutte au Japon et en Afrique… avec " O SUMO SAN " à l'institut français de Tokyo et au musée Albert-Kahn de Boulogne-Billancourt en 2011. " O SUMO FUDE " en 2013, à Tokyo, est la première exposition en duo du travail photographique de Philippe Marinig et de la calligraphie de Daimon Kinoshita sur l'univers du sumo. [O] qualifiant un signe de respect, [Sumo] étant la lutte japonaise traditionnelle et [Fude] le pinceau du calligraphe. Fasciné par ces " demi-dieux ", Philippe Marinig nous propose un regard inédit sur les énigmes de ce monde empreint de rituels et de rigueur. A travers une vision à la fois esthétique et intuitive, il révèle la beauté brute de ces corps soumis à rude épreuve. Daimon Kinoshita est l'artiste attitré des sumos depuis plus de vingt-cinq ans. Sa calligraphie et ses estampes nous font découvrir l'intimité de ce milieu. Avec "LAMB, LUTTER" présenté en 2015 à Dakar, il nous fait pénétrer dans le monde mystique de la lutte sénégalaise.

Dans l'intimité du monde ultra protégé et caché des Geishas, "KYOTO NO KODO" est exposé à la Galerie Visconti à Paris, en 2015.

Lauréat en 2010 du prix SCAM Rogé Pic, décerné par la société civile des auteurs multimédia.

Résident en 2011-2012 de la Villa Kujoyama. Comme la Villa Médicis de Rome, la Villa Kujoyama de Kyoto, au Japon, est l'une des plus prestigieuses institutions culturelles françaises à l'étranger.

Anigue Meutémédian Malignon
DIRECTRICE ARTISTIQUE

David Leppan
ÉDITEUR

Anigue Meutémédian Malignon a toujours été inspirée par le détail, la couleur, la texture et la forme. Directrice artistique basée à Paris, elle est spécialisée dans la création de graphismes, images et designs élégants, raffinés et poétiques également innovants et axés sur le client.

Anigue a travaillé avec des marques de beauté et de mode de luxe telles qu'Hermès, Kenzo, Lancôme, Lancaster et Calvin Klein, et a collaboré avec des magnats de l'industrie de la mode international tels que les photographes Nick Knight, Koto Bolofo, Nathaniel Goldberg et Carter Smith, les stylistes Anastasia Barbieri, Serges Girardi et Marie-Amélie Sauvé et la rédactrice en chef de *Vogue Paris* : Emmanuelle Alt.

David Leppan est un entrepreneur et philanthrope passionné d'art, d'architecture, de design d'intérieur et de photographie.

Il est l'éditeur de Gatehouse, une maison d'édition internationale primée et axée sur les voyages, la cuisine, les arts et art de vivre, basée à Singapour. Certains de leurs récents titres comprennent notamment *Saké : Origines, histoires et art des brasseries artisanales japonaises Dim Sum* et *Art Plural*, ainsi que la série de voyage en cours, *Les Guides de HUNT*.

BIBLIOGRAPHY

p. 14
French: Original translation by Aya Soejima.
English: Original translation by Intergo.

p. 20
French: Original translation by Intergo.
English: Donegan, Patricia, and Yoshie Ishibashi, ed. and trans. *Feminist Poems By Chiyo from Chiyo-ni: Woman Haiku Master.* N.p.: Tuttle Publishing, 1998.

p.25
French: Original translation by Intergo.
English: Original translation by Intergo.

p. 28
French: Munier, Roger. *Haikus : Anthologie.* Paris: Fayard, 2006.
English: "Classical Japanese Database." *Book #35 Haiku by Reginald Horace Blyth.* N.p., n.d. Web. 24 Aug. 2016.

p. 34
French: Original translation by Intergo.
English: Original translation by Intergo.

p. 40
French: Titus-Carmel, Joan. Cent onze Haiku. Lagrasse: Verdier, 1998.
English: "Part IV of Basho's Haiku." *Traditional Japanese Short Form Poetry.* Trans. David Landis Barnhill. Simply Haiku Journal, n.d. Web. 24 Aug. 2016.

p. 45
French: Atlan, Corinne, Bianu, Zéno. *Haiku : Anthologie du poème court japonais.* Paris : Gallimard, 2002.
English: Mackenzie, Lewis. *The Autumn Wind: A Selection from the Poems of Issa.* Kodansha International, 1957.

p. 51
French: Atlan, Corinne, Bianu, Zéno. *Haiku : Anthologie du poème court japonais.* Paris : Gallimard, 2002.
English: Blyth, R. H., trans. *Haiku.* 4 vols. Tokyo: Hokuseidō, 1949-52.

p. 56
French: Yosa, Buson. *Le parfum de la lune.* Millemont : Moundarren, 1992.
English: Original translation by Intergo.

p. 67
French: Vincent Brochard.*L'art du haïku : Pour une philosophie de l'instant.* Belfond , 2009. p.82.
English: Original translation by Intergo.

p.72
French: Cheng, Wing Fun. *Chiyoni : Bonzesse au jardin nu.* Millemont : Moudarren, 2005.
English: Original translation by Intergo.

p. 74
French: Rogier Munier. From Haïku. Fayard, 1978
English: Original translation by Intergo.

p. 82
French: Original translation by Intergo.
English: Nelson, William R., Saito, Takafumi. *1020 Haiku
in Translation: The Heart of Basho, Buson and Issa,*
Book Surge Publishing, 2006.

p. 92
French: Munier, Roger. Haikus: *Anthologie.*
Paris: Fayard, 2006.
English: Nelson, William R., Saito, Takafumi. *1020 Haiku
in Translation: The Heart of Basho, Buson and Issa,*
Book Surge Publishing, 2006.

p. 94
French: Atlan, Corinne. *Haiku du XXe siècle : Le poème
court japonais d'aujourd'hui,* Paris: Gallimard, 2007.
English: Original translation by Intergo.

p. 96
French: Atlan, Corinne, Bianu, Zéno. *Haiku : Anthologie
du poème court japonais. Paris : Gallimard,* 2002.
English: Original translation by Intego.

p. 104
French: Original translation by Intergo.
English: Donegan, Patricia, and Yoshie Ishibashi, ed. and
trans. *Feminist Poems By Chiyo from Chiyo-ni: Woman
Haiku Master.* N.p.: Tuttle Publshing, 1998.

P. 112
French: Atlan, Corinne, Bianu, Zéno. *Haiku : Anthologie
du poème court japonais.* Paris : Gallimard, 2002.
English: "Part IV of Basho's Haiku." *Traditional Japanese
Short Form Poetry.* Trans. David Landis Barnhill. Simply
Haiku Journal, n.d. Web. 24 Aug. 2016.

p. 120
French: Atlan, Corinne, Bianu, Zéno. *Haiku : Anthologie
du poème court japonais.* Paris : Gallimard, 2002.
English: "Basho's Haiku Selected Poems by Matsuo
Basho." Academia.edu. N.p., n.d. Web. 24 Aug. 2016.

p. 128
French: Original translation by Intergo.
English: Original translation by Intergo.

p. 134
French: Atlan, Corinne, Bianu, Zéno. *Haiku : Anthologie
du poème court japonais.* Paris : Gallimard, 2002.
English: "Basho - Selected Hokku." — *Faculty/Staff Sites.*
N.p., n.d. Web. 24 Aug. 2016.

SECRET MOMENTS OF MAIKOS
The Grace, Beauty and Mystery of Apprentice Geishas

publisher David Leppan

managing director Andrew Nicholls

managing editor Bethany Larson Bloch

art directors Anigue Malignon
Edroos Alsagoff

assistant art director Michko Sebastião

photographer Philippe Marinig

senior marketing manager Tyler Shaw

operations manager Nurhidayah Nordin

GATEHOUSE PUBLISHING

133 Amoy Street, #03/04-01

Singapore O49962

gatehousepublishing.com

First published in 2017
© 2017 Gatehouse Publishing Pte Ltd ISBN 978-981-07-9528-3
Printed in Singapore by Dominie Press.

A catalog record for this book is available from
the National Library Board, Singapore.

ACKNOWLEDGMENTS

Philippe Marinig and Gatehouse Publishing would like to thank the
following for the invaluable knowledge and assistance in the creation
of this book: Richard Collasse, Kiyoko, Kunihiko, Satsuki, Kunio Ao, Kaji
Aquicco, Pascale Doderisse, Fujifilm Japan, Galerie Atelier Visconti
Paris, Christophe Guibbaud, Mimi Durand Kurihara, Sigrid and Xavier
de Montrond, Naomi Ota, Joshua Smith and his translation team at
Intergo, Aya Soejima, Villa Kujoyama Kyoto and David Weymians.